Alfred Schnittke

Drei Gedichte von Viktor Schnittke

Three Poems of Viktor Schnittke

für Tenor und Klavier
for tenor and piano

edition sikorski 8544

Drei Gedichte von Viktor Schnittke
Three Poems of Viktor Schnittke

für Tenor und Klavier / for tenor and piano

(1988)

I. Wer Gedichte macht ...

Alfred Schnittke
(1934-1998)

II. Der Geiger

Wenn er den feins - ten Fa - den dehnt und dehnt und fa - sern lässt und ihn auf höh - rer Stu - fe im Klang ver - klärt und dehnt und dehnt und dehnt ..., dann ru - fe ich stum - men Mun-des: Gott! Was ich er - sehnt als

III. Dein Schweigen

Ich nei - ge mich zum Bach, und ei - si - ges Kris - tall presst mir die Hand im har - ten Gruß des Herbs - tes. Die Bäu - me streu - en Laub. Im fah - len Him - mel zieht der Ha - bicht

Alfred **Schnittke**

Stage Works

Peer Gynt [1986]
Ballet in three acts by John Neumeier based on
Henrik Ibsen's drama **M**

Life with an Idiot [1991]
Opera in two acts by Victor Yerofeyev after his
like-named short story **M**

Gesualdo [1993]
Opera in seven tableaux, a prologue and an epilogue
by Richard Bletschacher **M**

The History of D. Johann Faustus [1991/1994]
Opera in three acts, a prologue and an epilogue by
Jörg Morgener and Alfred Schnittke after
Johann Spies **M**

Orchestral Works

Symphonies Nos. 1-9 [1972-1998] **M**
study scores: **SIK 6830** (Symphony No. 2)
SIK 6782 (Symphony No. 4)
SIK 1901 (Symphony No. 6)
SIK 1903 (Symphony No. 7)
SIK 1920 (Symphony No. 8)

(K)ein Sommernachtstraum [1985]
for orchestra **M**

Four Aphorisms [1988]
for orchestra **M**

For Liverpool [1994]
for orchestra **M**
study score: **SIK 1924**

Suite in Old Style [1972/1987]
for violin and piano or for chamber orchestra
study scores: **SIK 2380** (version for chamber orchestra)
SIK 2298 (version for violin and piano)

Instrumental Concertos

Concerto for Piano and Orchestra [1960] **M**

Concerto for Piano and String Orchestra [1960] **M**
study score: **SIK 1879**

**Concerto for Piano Four-Hands and
Chamber Orchestra** [1988] **M**

Violin Concertos Nos. 1-4 [1962-1984] **M**
study scores: **SIK 6711** (Violin Concerto No. 3)
SIK 6780 (Violin Concerto No. 4)

Concerto for Viola and Orchestra [1985] **M**
study score: **SIK 1875**
piano reduction: **SIK 1938**

Monologue [1989]
for viola and strings **M**
study score: **SIK 1875**

Violoncello Concertos Nos. 1 and 2
[1985-1986/1988] **M**
study score and
piano reduction: **SIK 1822 / SIK 1995** (Cello Concerto No.1)
study score: **SIK 1878** (Cello Concerto No. 2)

Concerti grossi Nos. 1-6 [1977-1993]
for soloists and orchestra **M**
study scores: **SIK 1816** (Concerto grosso No. 3)
SIK 1932 (Concerto grosso No. 6)

free of charge
please order the
complete work list.
sales@sikorski.de

Concerto for Three
for violin, viola, violoncello and string orchestra
(with piano) [1994] **M**
study score: **SIK 1922**

Chamber Music

Hymns I-IV [1974-1979]
for chamber ensemble
parts: **SIK 2249** (Hymn I)
scores and parts: **SIK 2250** (Hymn II)
SIK 2251 (Hymn III)
SIK 2308 (Hymn IV)

String Quartets Nos. 1-4 [1966-1989]
study scores
and parts: **SIK 6716 / SIK 6715** (String Quartett No. 1)
SIK 6720 / SIK 6719 (String Quartett No. 2)
SIK 6753 / SIK 6752 (String Quartett No. 3)
SIK 6846 / SIK 6845 (String Quartett No. 4)

Piano Quartet [1988]
score and parts: **SIK 1833**

Sonatas for Violin and Piano Nos. 1-3
[1963-1994]
parts: **SIK 1840** (Violin Sonata No. 1)
SIK 2240 (Violin Sonata No. 2
„Quasi una Sonata")
SIK 1936 (Violin Sonata No. 3)

Sonatas for Violoncello and Piano Nos. 1 and 2
[1978/1994]
parts: **SIK 6622**
SIK 1955

Piano Sonatas Nos. 1-3 [1987-1992]
scores: **SIK 6833** (Sonata No. 1)
SIK 1876 (Sonata No. 2)
SIK 2366 (Sonata No. 3)

M = performance material on hire

SIKORSKI MUSIKVERLAGE · HAMBURG
www.sikorski.de · D-20139 Hamburg

SIKORSKI

A. Sch. 06/2008